Alert en Ondernemend

Alert en Ondernemend 2.0

Opleidingsprofiel
Culturele en Maatschappelijke Vorming

uitgeverij
SWP

Eerste druk, augustus 2009
Tweede druk, september 2010
Derde druk, mei 2013

Alert en Ondernemend 2.0
Opleidingsprofiel Culturele en Maatschappelijke Vorming

ISBN 978 90 8850 020 6
NUR 840

Inhoud

Woord vooraf

In een wereld die voortdurend verandert, moeten mensen en organisaties antwoorden zien te vinden, die tradities en vernieuwingen combineren. Zo ook de opleiding Culturele en Maatschappelijke Vorming. Tien jaar na het verschijnen van Alert en Ondernemend, opleidingsprofiel Culturele en Maatschappelijke Vorming is er nu de nieuwe versie van het opleidingsprofiel: Alert en Ondernemend 2.0.
In die tien jaar is er veel gebeurd op het terrein van beroeps- en opleidingsprofielen in de sociaal-agogische sector. Een paar belangrijke momenten daaruit wil ik hier noemen, zonder volledig te willen zijn: Profilering Agogisch Domein (PAD) in 2004, de Beroepenstructuur zorg en welzijn 'Klaar voor de toekomst' in 2005 en 'Vele takken, één stam' in 2008.
PAD bestond in het samenbrengen van de (competenties uit de) opleidingsprofielen van de verschillende sociaal-agogische opleidingen; het resultaat daarvan was een document dat door hogescholen en opleidingen veel is gehanteerd bij het inrichten van hun nieuwe, competentiegerichte curriculum. 'Klaar voor de toekomst' is vanuit het werkveld ontwikkeld door het NIZW, inmiddels aangevuld met een tiental competentieprofielen. Het HSAO heeft vervolgens in 'Vele takken, één stam' de gemeenschappelijke stam beschreven van de sociaal-agogische hogere beroepsopleidingen. Die beschrijving verscheen in 2008, met de nadrukkelijke bedoeling dat de verschillende landelijke opleidingen hun eigen tak zouden invullen. En precies dat is wat nu voor u ligt: de 'CMV-tak'.

Dat die tak er nu ligt is het werk van veel mensen. Allereerst wil ik de projectgroep bedanken: Pieter van Vliet, als projectleider, Frits de Dreu en Rudy van den Hoven hebben in dit project heel goed werk verricht. Zij zijn daarbij ondersteund door het redactiewerk van Nico de Boer en adviezen van Frans Berkers. Dank gaat ook uit naar de leden van de klankbordgroep: Yolanda te Poel, Sandra Trienekens, Marcel Spierts en Vincent de Waal. Verder wil ik alle studenten, docenten en vertegenwoordigers van het werkveld bedanken voor hun bijdragen tijdens de conferenties.

Naar mijn mening ligt er een mooi en doorwrocht opleidingsprofiel met een goede mix van continuïteit en vernieuwing. Nieuw zijn uiteraard de formuleringen van de competenties, afgestemd op de actualiteit in het werkveld en de maatschappelijke en beleidsmatige ontwikkelingen en qua formulering aansluitend bij de huidige onderwijskundige inzichten. Gebleven is de kern van het opleidingsprofiel, nieuw geformuleerd, maar met behoud van kernwaarden en maatschappelijke opdracht van CMV. Gebleven zijn ook, in nieuwe bewoordingen, de drie segmenten van competenties: agogisch handelen, ondernemend handelen en beroepsontwikkeling.

Ook deze versie van Alert en Ondernemend is gebaseerd op een analyse van het werkveld en de ontwikkelingen die zich daarin voordoen. Die trendstudie heeft de vorm gekregen van een analyse van een tiental thema's en is onder de titel 'CMV in veelvoud' apart uitgegeven. Ik verwijs u daar graag naar.

Rest mij alle gebruikers van dit profiel veel leesplezier en inspiratie toe te wensen.

Huub Gulikers
Voorzitter Landelijk Opleidingsoverleg CMV

In 1999 verscheen het eerste CMV-opleidingsprofiel 'Alert en ondernemend'. Het was een – achteraf gezien - geslaagde poging van de gezamenlijke CMV-opleidingen in Nederland om de opleiding van een helder profiel te voorzien. 'Alert en ondernemend' wordt sindsdien door alle CMV-opleidingen gebruikt als inhoudelijk oriëntatiepunt.

De opleiding CMV is ontstaan in 1991 na een reorganisatie van het Hoger Sociaal-agogisch Onderwijs die nodig was omdat een wildgroei aan (sociaal-agogische) opleidingen was ontstaan. Het HSAO werd opgedeeld in vier opleidingen: MWD, SPH, SJD en CMV. CMV was deels een samenvoeging van de opleidingen (Sociaal) Kultureel Werk en Opbouwwerk, maar ook aparte opleidingen voor (randgroep)jongerenwerk en delen van de creatieve Mikojel opleidingen (Middelo, Kopse Hof en Jelburg), werden bij CMV ondergebracht. Inhoudelijk werden de vier domeinen van CMV geformuleerd: educatie, recreatie, kunst & cultuur en samenlevingsopbouw.

Deze herordening en naamsverandering volgde op een vergelijkbare operatie in de jaren zestig van de vorige eeuw. In 1963 werd op de sociale academies de studierichting (sociaal)-cultureel werk officieel ingevoerd, naast maatschappelijk werk en de nieuwe studierichtingen personeelswerk en inrichtingswerk. De sociale academie stamt af van de School voor Maatschappelijk Werk, in 1899 opgericht als 'Opleidingsinrichting voor Sociale Arbeid'.

Hoewel de waarde en betekenis van A&O '99 nog steeds wordt erkend, is het na tien jaar tijd voor actualisering. In de samenleving en in de werkvelden waartoe CMV opleidt, zijn er immers ontwikkelingen waarop nieuwe antwoorden moeten worden geformuleerd, gegoten in competenties die een beginnende CMV-professional moet hebben ontwikkeld om zijn of haar[1] vak goed te kunnen uitoefenen. Naast de verdergaande 'verbreding' van het werkveld waar CMV'ers hun vak uitoefenen (zie bijlage 4 voor een tijdsgebonden en niet uitputtend overzicht), zijn er de afgelopen tijd in de traditionele werk-

---

1 Hoewel er zeer veel vrouwelijke CMV'ers zijn, gebruiken we verder in deze tekst om taalkundige redenen de mannelijke vorm.

velden nieuwe beroepsprofielen verschenen waartoe de opleiding zich moet verhouden, zoals dat van de sociaal-cultureel werker (NIZW beroepsontwikkeling, 2005) en dat van de jongerenwerker (Movisie, 2008). Daar komt bij dat de gezamenlijke opleidingen voor HSAO in 2008 een nieuw inhoudelijk kader hebben geformuleerd waaraan ook de CMV-opleidingen zich geconformeerd hebben. In dat kader – met de naam *Vele takken, één stam'* – wordt de gezamenlijke 'stam' van de sociaal-agogische opleidingen geformuleerd in termen van missie, visie en basiscompetenties. Van de verschillende HSAO-opleidingen wordt verwacht dat zij hun opleidingsprofielen landelijk op basis van dit document bijstellen. Ook het Landelijk Opleidingsoverleg (LOO) CMV staat dus voor de taak om aan te geven hoe de specifieke CMV-competenties zich verhouden tot de vastgestelde sociaal-agogische kerncompetenties en om de *body of knowledge* van CMV te beschrijven.

Aanpak

Tijdens een landelijke conferentie in november 2007 is een projectplan gepresenteerd en een projectgroep 'A&O 2.0' benoemd. Die kreeg de opdracht om het oude opleidingsprofiel te actualiseren, zodat het aansluit bij wat in de (nabije) toekomst van beginnende CMV'ers wordt gevraagd. Vanaf januari 2008 heeft die projectgroep die taak uitgevoerd onder verantwoordelijkheid van een stuurgroep van het LOO CMV en met inhoudelijke ondersteuning van een klankbordgroep. In de loop van 2008 is er een grote landelijke internetenquête uitgevoerd onder alle CMV-studenten (zie bijlage 5) en zijn drie landelijke werkconferenties[2]) georganiseerd om te zorgen voor inbreng van alle betrokkenen (studenten, docenten en vertegenwoordigers van het werkveld). Aan alle deelnemers van deze conferenties is in een latere fase van het proces gevraagd commentaar te leveren op een laatste concept van het nieuwe profiel. Zowel de uitkomsten van deze conferenties als deze commentaren zijn verwerkt in het nieuwe opleidingsprofiel.

---

2 De studentenconferentie was op 23 mei 2008, de docentenconferentie op 13 juni 2008 en de werkveldconferentie op 26 september 2008.

Daarnaast hebben elf experts op verzoek verkenningen uitgevoerd naar tien thema's:

1. zorg & welzijn (*Hans van Ewijk*)
2. vrije tijd, eigen tijd (*Johan Rippen*)
3. leren (*Jan Houtepen*)
4. jeugd en jongeren (*Vincent de Waal*)
5. kunst & cultuurparticipatie en community art (*Eugene van Erven* en *Frits de Dreu*)
6. de buurt als werkplaats (*Vincent Smit*)
7. duurzame ontwikkeling (*Yolanda te Poel*)
8. marktwerking (*Huub Gulikers*)
9. diversiteit (*Sandra Trienekens*)
10. zingeving (*Frans Berkers*)

Voor elk thema zijn de maatschappelijke en beleidsmatige ontwikkelingen in beeld gebracht en zijn de gevolgen aangegeven voor de beroepsuitoefening van CMV. Doel daarvan is een scherp beeld te geven van wat er rondom CMV aan de hand is om van daaruit de perspectieven en handelingsmogelijkheden van CMV'ers te benoemen. Ook die verkenningen waren een belangrijke basis voor de actualisering van het opleidingsprofiel.

Resultaat

Het resultaat van die aanpak is neergelegd in twee publicaties: het geactuali-seerde CMV-opleidingsprofiel *Alert en Ondernemend 2.0* dat nu voor u ligt en *CMV in veelvoud*, de bundeling van de trendstudies, aangevuld met praktijk-beschrijvingen.

Het vernieuwde opleidingsprofiel heet Alert en Ondernemend 2.0. Deze titel doet recht aan de waarde en betekenis aan van het eerste CMV-opleidingspro-fiel, waarin toen al het belang van 'ondernemen' werd geformuleerd en gekop-peld aan de noodzaak van maatschappelijke alertheid. Veel van de redene-ringen en formuleringen die toen zijn ontwikkeld, bleken ook bij nauwkeurige analyse nog steeds recht overeind te staan. De toevoeging 2.0 duidt erop dat tegelijkertijd een belangrijke vernieuwingsslag is gemaakt.[3]

Die vernieuwingsslag is net zo min afgelopen als de veranderingen in de we-reld om ons heen: het is nu aan de CMV-opleidingen om hun leerplannen op dit profiel af te stemmen.

Na deze inleiding en verantwoording stellen we bij wijze van gebruiksaanwij-zing voor het opleidingsprofiel een zevental vragen:

1. Waarom een opleidingsprofiel met competenties?
2. Wat is er de afgelopen jaren rondom CMV veranderd?
3. Wat is CMV?
4. Wat is er nieuw aan dit opleidingsprofiel ten opzichte van Alert & Ondernemend '99?
5. Hoe verhoudt dit opleidingsprofiel zich tot het overstijgende domein 'social work'?
6. Hoe verhoudt CMV zich tot internationale ontwikkelingen?
7. Wat is de 'body of knowledge' van CMV?

Nadat deze vragen in zeven hoofdstukken zijn behandeld worden in hoofdstuk 8 de CMV-competenties geformuleerd.

---

3   Op het internet duidt de toevoeging 2.0 op een ontwikkelingsstadium waarbij de digitale wereld sociaal en interactief is geworden, d.w.z. dat de gebruiker zelf zeggenschap en controle heeft over wat hij met en in cyberspace doet.

Hoofdstuk 1

Vernieuwing van een opleidingsprofiel: vakmanschap en competenties

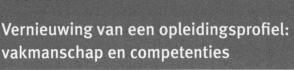

Net als vrijwel het gehele Nederlandse beroepsonderwijs zijn ook de CMV-opleidingen overgegaan op competentiegericht leren en opleiden. Daarmee erkennen ze dat Nederland zich ontwikkelt in de richting van een 'kennissamenleving' en dat het opleiden van professionals meer is dan het overdragen van een vastgestelde hoeveelheid kennis en vaardigheden. Professionele vakbekwaamheid, ook in de culturele en sociale sector, vereist een lerend en reflexief vermogen dat ontwikkeld kan worden in een rijke leeromgeving waarin studenten worden uitgedaagd om in realistische praktijksituaties hun nieuw opgedane vakbekwaamheid te tonen. Centraal staat het leren van studenten, die worden begeleid door deskundige docenten die leren en beroepsontwikkeling mogelijk maken. In de context van een beroepsopleiding verstaan wij onder 'competentie':

> *een samenhangend cluster van verwante kennis, vaardigheid en houding die een persoon ontwikkelt om bepaalde complexe handelingen in een beroepsmatige context adequaat uit te voeren, dat wil zeggen zo te handelen dat het beoogde resultaat wordt bereikt door het werk naar de normen van het vak goed te doen.*

Met andere woorden, bij competenties gaat het om bekwaamheden om in bepaalde situaties adequaat, dus passend te handelen.

Competenties zijn contextgebonden, dat wil zeggen: ze zijn pas 'zichtbaar' in specifieke beroepssituaties waarin men zijn vak uitoefent. Competenties zijn verder ondeelbaar, dat wil zeggen: de kennis, vaardigheden, houdingen en andere persoonlijke eigenschappen die er onderdeel van zijn, vormen een samenhangend geheel, dat juist in die samenhang werkingskracht heeft. En: competenties zijn ontwikkelbaar, dat wil zeggen: mensen kunnen competenties verwerven, verbeteren en veranderen.

Competenties zijn niet op te vatten als eendimensionale kwalificatie-eisen of eindtermen. In de beschrijvingen van de competenties geven we daarom aan welke vakbekwaamheden de beginnende professionals moeten hebben verworven in termen van integratie van kennis, vaardigheden en houding. Lerende professionals moeten zich individueel verhouden tot deze competenties. Het belang van competentieleren is dat het rechtstreeks gericht is op het verbeteren van de beroepsbekwaamheid van de individuele professionals (of ze nu student zijn, beginnende beroepskracht of senior).

De CMV-competenties zijn niet persoonsgebonden geformuleerd; wel persoonsgebonden is de wijze waarop die competenties worden verworven. De competenties worden verworven op HBO-niveau, dat wil zeggen dat het bij elke professionele handeling en de daarmee samenhangende competenties ook gaat om het vermogen tot *transfer*, reflectie en verantwoording. Zie bijlage 3 over de verhouding tussen de CMV-competenties, de HBO-kwalificaties en de 'Dublin-descriptoren'. Gezamenlijk geven de competenties aan wat de CMV-opleidingen verstaan onder een vakbekwame CMV-professional. Elke CMV-student zal zich individueel moeten verhouden tot deze competenties en aangeven op welke wijze en in welke context hij die competenties heeft ontwikkeld. De aard en wijze waarop dit proces geborgd wordt, is de verantwoordelijkheid van de afzonderlijke opleidingen.

De opleiding CMV is een beroepsopleiding die opleidt tot een HBO-diploma met de titel 'Bachelor of Social Work'. In §5 wordt beschreven hoe CMV zich verhoudt tot de andere bacheloropleidingen binnen het domein Social Work die zich beschouwen als sociaal-agogische opleiding. Voor het bepalen van het HBO-niveau van de CMV-opleiding gebruiken we de kwaliteitsstandaard die is gedefinieerd in de Dublin-descriptoren. Aanvullend kan gebruik gemaakt worden van de beschrijving van het Bachelorniveau in de *Beroepenstructuur Zorg en Welzijn: 'Klaar voor de Toekomst'*. Hierin worden vier niveaus van sociaal-agogische beroepsbeoefening onderscheiden aan de hand van de vereiste zelfstandigheid, de mate van complexiteit, de mate van verantwoordelijkheid en het vermogen kennis en vaardigheden in uiteenlopende situaties te gebruiken (transfer).

Deze vier niveaus zijn:
1. assistent (MBO-niveau 2),
2. uitvoeren (start op MBO-niveau 3, vakvolwassene opereert op MBO-niveau 4),
3. ontwerpen en uitvoeren (start op MBO-niveau 4, vakvolwassene opereert op bachelorniveau),
4. regie voeren (start op bachelorniveau, vakvolwassene opereert op masterniveau).

Voor het hoogste niveau van beroepsbeoefening geldt:
- zelfstandigheid: voert regie bij het uitvoeren van opdrachten;
- transfer: vertaalt kennis en vaardigheden naar een aanpak met andere disciplines;
- complexiteit: bedenkt oplossingsstrategieën bij meervoudig complexe vragen;
- verantwoordelijkheid: is aanspreekbaar op de aanpak, de coördinatie, continuïteit en op resultaat.

De CMV-professional op bachelorniveau moet op uitvoerend en ontwerpend niveau in staat zijn om complexe vraagstukken van individuen, groepen, organisaties en publiek in hun contexten te signaleren en daarop te interveniëren. Gegeven de aard van het vak geldt voor CMV'ers dat ze ook op het hoogste niveau van beroepsuitoefening naast regie en ontwerp ook uitvoerend werk moeten kunnen doen.

De wijze waarop de verschillende CMV-opleidingen zijn georganiseerd en hoe zij hun onderwijs vormgegeven verschilt per hogeschool. Alle hogescholen in Nederland hanteren een major/minormodel. Dat wil zeggen dat er in de opleiding ruimte is om een minor naar keuze te volgen. De minoren maakt het de hogescholen onder meer mogelijk flexibel in te spelen op ontwikkelingen in het werkveld en de beroepspraktijk en studenten daarbij in de gelegenheid te stellen zich breder te bekwamen of zich te specialiseren voor een bepaalde werksoort of beroepsvariant. Studenten kunnen zich bijvoorbeeld binnen het domein social work breder bekwamen door bijvoorbeeld naast de CMV-competenties ook specifieke hulpverleningscompetenties te verwerven, wat hen beter toerust om ook werkzaam te zijn binnen specifieke beroepsvelden, bijvoorbeeld individuele trajectbegeleiding. Ook in andere keuzes (zoals stages en afstudeerprojecten) kan de individuele student eigen accenten leggen of een eigen specialisatie vorm geven.

Ten tijde van de totstandkoming van dit CMV-opleidingsprofiel werd in het kader van het project 'Kwaliteitsverbetering Jeugdzorg' al onderzocht of het mogelijk is een 'uitstroomprofiel Jeugdzorg' binnen het HSAO te ontwikkelen door landelijke afspraken te maken over te verwerven competenties en de inhoud en omvang van te volgen onderwijsprogramma's. Mogelijk levert dit traject een werkwijze op om tot betere afspraken tussen hogescholen en werkveld te komen, waarbij landelijk een aantal globale richtlijnen worden afgesproken die per hogeschool specifiek worden uitgewerkt en ingevuld. Het LOO-CMV zal in samenwerking met de andere opleidingen binnen het HSAO en relevante organisaties in het werkveld onderzoeken op welke manier en onder welke voorwaarden 'uitstroomprofielen' ontwikkeld kunnen worden.

Hoofdstuk 2

Maatschappelijke trends en hun betekenis voor CMV

In 'CMV in veelvoud' heeft een elftal experts ontwikkelingen en trends beschreven in de maatschappelijke, beleidsmatige en organisatorische context waarbinnen CMV'ers hun werk doen. Hun beschrijving van de gevolgen daarvan voor het werk van CMV'ers zijn gebruikt bij het opstellen van dit competentieprofiel. Voor een volledig beeld verwijzen we naar 'CMV in veelvoud' – in deze paragraaf geven we de hoofdpunten van hun verkenningen weer.

Onzekerheid en onoverzichtelijkheid

Door het proces van globalisering worden staten, samenlevingen en individuen steeds meer van elkaar afhankelijk. Tegelijkertijd komt door het proces van individualisering steeds meer nadruk en verantwoordelijkheid te liggen bij het lokale en autonome. Dit creëert onzekerheid en onoverzichtelijkheid. Maatschappelijke tegenstellingen lijken zich daarbij niet zozeer te centreren rond economische kwesties, maar vooral rond sociaal-culturele kwesties. Met de verscherping van die sociale en culturele tegenstellingen en het zoeken naar nieuwe vormen van binding en solidariteit krijgen waarden en normen, moraal en religies weer meer betekenis ten opzichte van technologie en wetenschap. Diversiteit en gelijkwaardigheid worden steeds belangrijker en daarmee neemt de noodzaak van emancipatie en de behoefte aan zingeving toe. De grote uitdaging voor de samenleving en de publieke professionals, waaronder CMV'ers, is het voldoende toerusten van burgers met sociaal en cultureel kapitaal zodat gezamenlijk gewerkt kan worden aan die nieuwe kaders.

Sociaal-culturele kaders

Met het wegvallen van traditionele sociaal-culturele kaders door een combinatie van ontkerkelijking, ontzuiling, immigratie en het streven naar zelfontplooiing, krijgt het kiezen van een eigen leefstijl en autonome levenskeuzen grotere nadruk. En niet alleen de traditionele sociaal-culturele kaders vallen weg, dat geldt ook voor de vastomlijnde levenssferen: werk en zorg ('gebonden tijd') aan de ene kant, vrije tijd ('eigen' tijd) aan de andere kant.

Eisen die voorheen voor de vrije tijd golden (persoonlijke vrijheid, autonomie, plezier, zelfverwezenlijking) gelden steeds vaker ook voor die gebonden tijd: mensen willen ook werk (en zorg) zelf kunnen plannen en invullen. Ook de grens tussen het maatschappelijke en het culturele vervaagt: leven is leefstijl aan het worden, cultuur is steeds minder een van de rest van de maatschappij af te grenzen sfeer. Dat betekent dat het individu zelf op zoek moet naar vormen van zingeving. Dat lijkt hetzelfde als individualisering, maar is het niet: de maatschappij versplintert niet, de vergroting van individuele keuzevrijheid maakt de ontwikkeling van nieuwe sociale verbanden en vormen van gedeelde verantwoordelijkheid juist noodzakelijk.

Deze nieuwe vormen van sociale binding lijken bij uitstek te ontstaan binnen de alledaagse (vrije)tijdsbesteding van mensen. In dit verband ontwikkelen zich 'lichte gemeenschappen', mede mogelijk gemaakt door nieuwe technologie als mobiele telefonie en internet. Tegelijkertijd dienen zich nieuwe kaders aan, waaronder minstens een met een tamelijk dwingend karakter: de ecologie, het milieu. Klimaatverandering en duurzaamheid leken lange tijd een onderwerp voor (supra)nationaal beleid en verdragen, maar dringen steeds verder het lokale en zelfs het private domein binnen: duurzaamheid vergt individuele keuzen en actief burgerschap.

Het wegvallen van oude kaders en grenzen leidt tot verlies aan houvast. Vooral jongeren hebben daar last van. Er wordt al een groot beroep op hun autonomie gedaan voordat zij die goed en wel hebben kunnen ontwikkelen. Anderzijds suggereert 'wegvallen' vooral leegte en verlies, terwijl je de nadruk ook kunt leggen op flexibiliteit, veelvormigheid, de winst van de wederzijdse bevruchting van vrije tijd en werk en de creativiteit van het maken van je eigen levensbeschouwing of zelfs het creëren van je eigen wereld.

Jongeren, maar ook anderen, zijn dan ook massaal op zoek naar nieuw houvast. Dat vinden ze in zeer uiteenlopende richtingen. Het kan consumptie zijn en de life styles die daaromheen worden gecreëerd. Het kan ook een persoonlijk ingevulde moraal, religie (spiritualiteit) zijn. De nadruk ligt daarbij op de zoektocht naar persoonlijke houvast, minder op een collectief zoeken naar nieuwe maatschappelijke kaders.

Beleidsmatige trends

Het wegvallen van oude kaders speelt ook de beleidsmakers parten en ook daar zien we dan ook een zeer diverse zoektocht naar nieuwe kaders en grenzen. Het idee dat je de wereld vanuit één kader kunt vormgeven is wel verdwenen. Drie zoekrichtingen zijn te onderscheiden:

- Een tamelijk dominante zoekrichting is de laatste jaren het *marktdenken*. Dat geldt vooral voor de aanpalende wereld van de zorg, maar ook in het beroepenveld van CMV, zoals het welzijnswerk, is het zichtbaar. De financierende overheid is klant, de burger ook, en de instellingen zijn leveranciers van producten.
- Een tweede zoekrichting is de *wijk* of, chiquer gesteld, de lokalisering van beleid. Soms gaat dat gepaard met de stelling dat de buurt oorzaak is van het probleem, maar dat hoeft niet: zolang allerhande problemen op die schaal maar kunnen worden 'gevonden' en aangepakt.
- De derde zoekrichting is die van *burgerschap* en eigen verantwoordelijkheid. Het gaat hier om een specifieke invulling van burgerschap: niet de burger als kiezer en autonoom onderdaan, maar als sociaal verantwoordelijk wezen dat zijn eigen broek ophoudt en zo nodig ook die van zijn naasten. In de Wet Maatschappelijke Ondersteuning (WMO) is die zoekrichting goed te zien.

Tussen die drie richtingen bestaan spanningen, die ook in de beroepspraktijk van de CMV'er aan de oppervlakte komen. Het maakt nogal wat uit of je je als professional verhoudt tot een klant, tot een wijkbewoner of tot een burger. Ben je als CMV'er ondernemer die zijn klanten een dienst verkoopt? Of een *community developer* die (nieuwe) verbanden aanjaagt? Die burger bedient zich bovendien van meerdere geografische identiteiten: soms een buurtbewoner (bijvoorbeeld belanghebbend bij sociale veiligheid), soms een stedeling, Nederlander of zelfs een wereldburger.

In dat spanningsveld doen zich drie ontwikkelingen voor die voor CMV betekenisvol zijn:

- De eerste is de herwaardering van kleine, lokale, specifieke interventies. Het klassieke primaat van het beleid boven uitvoering wankelt. Het inzicht dringt door dat je niet alles kunt voorzien, dat je sturingsinformatie van het front nodig hebt en dat je werkers daar de ruimte moet bieden om naar eigen inzichten te werk te gaan. Die beweging sluit aan bij een oudere: versterking van de eerste lijn ten opzichte van tweede- en derdelijns voorzieningen. En dat sluit weer goed aan bij de lokalisering van beleid,

met name in de wijk. Uitvoerend werkers uit verschillende sectoren komen elkaar daar tegen en vormen 'ketens' met een grote potentie.

- De overheid wil enerzijds namens de bevolking marktmeester en inkoper zijn, maar wil anderzijds ook waarden en normen actief bevorderen. Ze wil niet alleen dat burgers elkaar aanspreken, maar tolereert zelf ook steeds minder. In dat opzicht is het tweede beschavingsoffensief allang begonnen (na het eerste van ruim een eeuw geleden) en dat maakt dat normeren lang zo beladen niet meer is als bijvoorbeeld een decennium geleden.

- Daarbij aansluitend is er het pleidooi om aan de organisaties en verenigingen in het publieke domein weer nadrukkelijk een eigen rol toe te kennen in het werken aan een betrokken, leefbare en democratische samenleving. Die doelstellingen kunnen niet alleen aan de markt overgelaten kunnen worden en ook de overheid is hierbij maar een van de spelers. Het publieke domein wordt ingeperkt door marktmechanisme, consumentisme en individualisme. Tegelijkertijd staan vraagstukken van participatie, het tegengaan van de kloof tussen bestuurders/politici en bevolking en de hervorming van de publieke dienstverlening (verantwoording door organisaties en instellingen over hun werkwijze en bestedingen) hoog op de agenda. Het zoeken is naar een nieuw evenwicht tussen staat, markt en samenleving met het oog op het herstel van de ruimte van burgers en organisaties van burgers om behalve aan hun private belang ook een bijdrage te leveren aan het publieke belang. Dat is een pleidooi voor een krachtige 'civil society', niet als beleidsinstrument in handen van de staat, maar als aanvullend op en tegenwicht tegen die staat en tegen (de uitwassen van) de markt. Voor CMV liggen hier volop kansen en mogelijkheden.

Dit betekent voor de beroepen CMV, dat bruggen bouwen en het verkleinen van kloven nog meer centraal komen te staan. Bij co-creatie of coproductie gaat het om samen werken aan samenleven en maatschappij: het maken van verbindingen (openingen en aanknopingspunten) tussen ongelijke en mogelijk tegengestelde belangen, wensen en vragen.
Het publieke karakter van de beroepen vergt een maatschappelijk verantwoord organiseren en ondernemen, waarin het morele of normatieve niet meer kan worden veronachtzaamd ten gunste van technologie of wetenschap. Overheid, instellingen en professionals dienen in dialoog te treden met burgers en zich publiekelijk te verantwoorden.

In *Alert & ondernemend '99* werd de kern van CMV omschreven als *'het ondersteunen van mensen bij het zichzelf vormen en bij de vormgeving van hun maatschappelijke leven.'* Deze formulering geldt in zijn algemeenheid nog steeds. Het werk van CMV-professionals is dienstverlening aan burgers (individuen, groepen, samenlevingsverbanden, organisaties, publiek) bij de vormgeving van hun maatschappelijke bestaan. Als dienstverlener is de CMV'er gericht op de ontwikkeling van zelfwerkzaamheid, zelfsturing en zelforganisatie. Daarbij is deze sociaal-culturele dienstverlening interactief, contextgebonden en contextgericht. Bij deze dienstverlening zijn drie vormen te onderscheiden: *interveniëren, ondersteunen* of *faciliteren*. Meestal gaat het om een combinatie van deze drie.

Deze kern werken we hieronder preciezer uit door in te zoomen op de *maatschappelijke opdracht ('waartoe'), agogische dienstverlening ('wat'),* de *civiele samenleving ('waar')* en het *methodisch handelen ('hoe')* van CMV. De antwoorden op die vier vragen hangen onderling samen: het waartoe zegt iets over het waar, over het wat en hoe, enzovoort.

3.1 Waartoe: de maatschappelijke opdracht van CMV

Het werk van CMV-professionals heeft een publiek karakter. Als dienstverlening wordt het verricht in en vanuit de publieke ruimte en ook naar zijn inhoud en vorm is het gericht op de publieke zaak. De maatschappelijke opdracht aan CMV-professionals is het leveren van een bijdrage aan de leefbaarheid van de samenleving. Vergroting van leefbaarheid kan alleen gerealiseerd worden door actieve deelname van de mensen zelf. Om invloed te kunnen uitoefenen op hun leefomgeving en hun maatschappelijk leven vorm te kunnen geven hebben ze bekwaamheden, competenties nodig. Mensen ontwikkelen die door zelf te handelen en daarop te reflecteren. In veel gevallen is (professionele) ondersteuning daarbij gewenst of noodzakelijk.

De CMV'er richt zich op de vergroting en versterking van competenties die mensen in staat stellen om zich staande te houden en hun leven kwalitatief vorm te geven. Hij doet dit door individuen, groepen, gemeenschappen, organisaties en publiek uit te dagen om deel te nemen aan culturele en sociale activiteiten en projecten. Hiertoe worden situaties gearrangeerd en contexten gecreëerd waarin mensen elkaar kunnen ontmoeten en verbindingen met elkaar kunnen aangaan. Individuen, groepen, organisaties en gemeenschappen worden door CMV'ers gestimuleerd om te participeren in het maatschappelijk leven. Tevens worden maatschappelijke instellingen en organisaties gestimuleerd om participatiemogelijkheden te vergroten. Daarmee bevordert de CMV'er zowel de persoonlijke vorming als de emancipatie van bepaalde groepen en versterkt hij bovendien de ontwikkeling van nieuwe sociale en culturele verbanden. Zodoende levert CMV een bijdrage aan de sociale cohesie van de samenleving. Door mensen uit te nodigen tot actieve deelname aan activiteiten, versterkt de CMV'er tegelijkertijd de integratie van individuen en groepen in de samenleving en bestrijdt hij sociale en culturele uitsluiting.

3.2 Wat: agogische dienstverlening

Bij zijn werk houdt de CMV-professional rekening met de contexten waarbinnen het plaatsvindt. Zijn dienstverlening is naar inhoud en vorm afhankelijk van de mensen met wie hij werkt (hun doelen en middelen) en van de omgeving (de daarbij behorende doelen en middelen) waarin de agogische relatie

plaatsvindt. En deze dienstverlening vindt niet alleen plaats in een context (maatschappelijk, beleidsmatig en organisatorisch), maar is meestal ook gericht op verbetering, vernieuwing dan wel verandering van de interacties tussen mensen en hun omgeving. Daarbij is de CMV'er gericht op het creëren van openheid in diversiteit, verscheidenheid in gelijkwaardigheid, op actief en betrokken burgerschap. Als intermediair legt hij verbindingen en stimuleert zo burgers en overheid tot coproductie of co-creatie van sociaal en cultureel kapitaal. Juist omdat ze zich ook richt op maatschappelijke participatie en beleidsbeïnvloeding overstijgt CMV het karakter van dienstverlening. In het creëren van samenhang spelen waarden en normen spelen een belangrijke rol.

Het vakmatig handelen van CMV'ers is in de kern normatief en niet waardeneutraal. Het veronderstelt verbondenheid en engagement met mensen en erkenning van ieders eigenheid. Dat kan alleen met een visie op wat rechtvaardige maatschappelijke verhoudingen zijn en wat minimumvoorwaarden zijn voor een leefbaar en menswaardig bestaan. Een CMV'er zal waar mogelijk een bijdrage leveren aan het verbeteren van de positie van mensen die over weinig hulpbronnen beschikken, aan het oplossen van maatschappelijke vraagstukken, aan het ontwikkelen van nieuwe sociaal-culturele oriëntatiekaders en aan het vergroten van de greep die mensen op hun bestaan hebben. Daarbij kan hij omgaan met tegengestelde belangen, spanningen en dilemma's. Hij slaat bruggen tussen uiteenlopende mensen, groepen en organisaties of hij confronteert juist. Rust voor werkelijk contact met mensen ('betekenistijd') is daarin van groot belang, zeker als het mensen betreft die een heel andere achtergrond hebben dan de werker zelf.

De CMV'er reflecteert op zijn werk: hij benoemt zijn eigen handelen, beoordeelt de effecten (ook de onbedoelde) en stelt zijn handelen waar nodig bij. Als 'reflective practitioner' kan hij zijn eigen functioneren plaatsen in een brede maatschappelijke context, met inbegrip van doelstellingen, opvattingen, waarden en normen die daar gelden. Door 'reflection in action' leert hij om adequaat te anticiperen op nieuwe, onverwachte en onvoorspelbare situaties. De CMV'er maakt zijn keuzes expliciet en verantwoordt zijn handelen naar deelnemers, opdrachtgevers en de samenleving. Die verantwoording is niet alleen technisch-instrumenteel, maar ook inhoudelijk en ethisch-normatief. CMV is maatschappelijk verantwoord organiseren en ondernemen.

3.3 Waar: civiele samenleving

De CMV'er werkt hoofdzakelijk in een zelfstandige maatschappelijke sfeer tussen staat, markt en persoonlijke levenssfeer, een publieke ruimte waar mensen zich verenigen en op basis van vrijwilligheid met elkaar samenwerken en hun sociale en culturele leven vormgeven. Zijn werk kan plaatsvinden op een breed maatschappelijk terrein: in de educatieve, de recreatieve, de culturele en de welzijnssector maar ook in de media, de sport, de ontwikkelingsamenwerking, de zorg en de wereld van de arbeid.

Gemeenschappelijk kenmerk van deze werkplekken is, dat ze op de een of andere manier in betrekking staan met de civil society ofwel de *'civiele samenleving'*. De civiele samenleving is niet te herleiden tot staat, markt of privésfeer. Wel oefenen die drie sferen een (wisselende) invloed uit. In de relaties tussen staat, markt en privésfeer kunnen ook strijdigheden bestaan, die van invloed zijn op de civiele samenleving.

De CMV'er spreekt mensen niet alleen aan als burger, als klant of als privépersoon, maar vaak juist in een combinatie van die verschillende aspecten. Zijn werk is niet alleen gericht op het bevorderen van actief burgerschap of het aanbieden van kwalitatief goede diensten, of om de emancipatie, empowerment en ontplooiing van mensen. Kenmerkend voor het werk van de CMV'er is dat die verschillende perspectieven altijd naast elkaar een rol spelen. Individuele ontplooiing wordt steeds geplaatst binnen de maatschappelijke context.

3.4 Hoe: methodisch handelen

De CMV'er gaat *methodisch* te werk: zijn handelen is doelgericht, planmatig en systematisch en tegelijk ethisch en maatschappelijk verantwoordelijk. In het directe contact met burgers/deelnemers/klanten binnen de agogische dienstverlening vervult hij een aantal rollen: hij *informeert, adviseert, stimuleert, brengt structuur aan* en *maakt leren mogelijk*. Daarnaast is hij een netwerker en vervult hij een bemiddelende rol tussen verschillende groepen, partijen en organisaties.

Met dit methodische handelen stimuleert, motiveert en activeert hij burgers, groepen, organisaties en publiek tot actieve en verantwoordelijke deelname aan en in de maatschappij en zorgt daarbij voor evenwicht tussen individuele, culturele en sociale aspecten. Hij maakt gebruik van contexten waarin mensen elkaar ontmoeten of hij arrangeert die, bijvoorbeeld door maatschappelijke

instellingen en organisaties te stimuleren. Zo ontstaan er mogelijkheden en gelegenheden om als actief en verantwoordelijk burger deel te hebben aan de vormgeving van de democratische rechtsstaat en daarmee ook aan de ontwikkeling van waarden en normen, aan de zingeving van het bestaan, aan de vernieuwing van culturele expressievormen en de vorming van identiteiten en oriëntatiekaders.

In veel opzichten is de CMV'er *ondernemend*. Daarbij is een onderscheid te maken in vier vormen van ondernemend zijn:

- *Ondernemingszin* duidt op de houding van de CMV'er: hij is zelfstandig en gedreven, durft risico's te nemen en onorthodoxe wegen te begaan, hij beoefent zijn vak met betrokkenheid, toewijding en passie;
- *Ondernemerschap* duidt op de kennis en vaardigheden van de CMV'er om in een maatschappelijke situatie van toenemende marktwerking succesvol en bedrijfsmatig te kunnen handelen, eventueel zelfs als zelfstandig ondernemer.
- Bij *cultureel ondernemen* gaat het om dienstverlening aan mensen bij de wijze waarop ze betekenis geven aan hun leven (en daaraan uitdrukking geven) door het zoeken naar nieuwe kaders: *cultureel ondernemen daagt mensen uit.*
- Bij *sociaal ondernemen* gaat het om dienstverlening aan mensen bij het samenleven en participatie in de maatschappij, belangenbehartiging en positieverbetering: *sociaal ondernemen brengt mensen bij elkaar.*

Mensen stimuleren tot zelforganisatie en zelfregulering vanuit principes van co-creatie en maatschappelijk organiseren vraagt methodische benaderingen waarin combinatie en meervoudigheid voorop staan. Het gaat steeds om verbindingen tussen leren, vrije tijd, belangenbehartiging en zelforganisatie, cultuurproductie en -consumptie waarbij expressie, communicatie en vormgeving door middel van de kunsten, sport & spel en media speciale aandacht krijgen.

Hoofdstuk 4

Wat verandert er ten opzichte van Alert en Ondernemend '99?

4.1 CMV is een vakopleiding voor meerdere beroepen

In het CMV-opleidingsprofiel Alert en Ondernemend uit 1999 werd gesproken over CMV als beroep. In het werkveld worden de beroepen echter specifieker benoemd: met heeft het daar over sociaal-cultureel werkers en jongerenwerkers, om maar eens twee van de beroepen te noemen waarvoor de opleiding CMV opleidt. Bij de werving van werkers in deze beroepen wordt overigens vaak wel iemand met een CMV-opleiding gevraagd.

De afkorting CMV staat voor een hogere beroepsopleiding, niet voor één nauw omschreven beroep. Alert en Ondernemend 2.0 is bijgevolg een *opleidings-profiel*, dat de competenties beschrijft waarover een (beginnend) professional moet beschikken die in meerdere beroepen kan werken. We zouden kunnen zeggen dat CMV geen beroep is, maar een vak, zoals een elektrotechnicus als vakman ook in verschillende beroepen terecht kan. De opleiding CMV heeft de taak om *vakkundige, vakbekwame* professionals op te leiden. Die kunnen hun vakbekwaamheid uitoefenen in verschillende beroepen en functies (zie de bijlage voor een opsomming van de grote diversiteit aan beroepen en organisaties waar CMV'ers werkzaam zijn).

4.2 Voorbij de domeinindeling

In het opleidingsprofiel uit 1999 werden de vier domeinen van CMV (educatie, recreatie, kunst & cultuur, samenlevingsopbouw) in drie betekenissen gebruikt:

- als aspecten van menselijk handelen (de manier waarop mensen leren, zich ontspannen en vermaken, zin en betekenis geven aan hun leven en dat vormgeven, hun sociale relaties vormgeven en hun belangen behartigen);
- als ordeningskader van de belangrijkste werkvelden (de organisatorische contexten van de professionele arbeid);
- als aandachtsterreinen of dimensies van de beroepsuitoefening (aspecten van het professioneel methodisch handelen: CMV'ers organiseren

educatieve, recreatieve, sportieve, culturele en sociale activiteiten; ze gebruiken educatieve, recreatieve, sportieve en kunstzinnige methoden en methoden die gericht zijn op samenwerking en contact).

De afgelopen jaren is in het alledaagse taalgebruik één betekenis dominant geworden, namelijk die van de domeinen als werkvelden. Dit heeft tot onduidelijkheid en verwarring geleid. Om die misverstanden te vermijden spreken we in dit profiel niet meer van dé domeinen van CMV als enige indelingscriterium. In de nadere omschrijving en positionering van CMV als vak, dat in meerdere beroepen uitgeoefend wordt, gaan we wel in op de verschillende terreinen van het maatschappelijk leven van mensen waarop de sociaal-culturele dienstverlening (interventie, ondersteuning, facilitering) door CMV'ers betrekking heeft en op de contouren van het methodisch handelen van de CMV'er als agoog.

4.3 Ordening van de competenties

In de discussies op de conferenties, met de klankbordgroep en binnen de projectgroep werd duidelijk dat er nog steeds grote waardering is voor het oude 'Alert en ondernemend', maar tegelijkertijd dat sommige accenten anders gelegd moesten worden. Zo moesten de competenties die voorwaardelijk zijn voor ondernemend handelen nauwkeuriger worden benoemd. Ook de verhouding tussen agogisch, organisatorisch, ondernemend (bedrijfsmatig) en beleidsmatig handelen moest preciezer worden geformuleerd. Dit heeft geresulteerd in een nieuwe ordening van de competenties. De drie segmenten zijn gehandhaafd maar hebben iets andere noemers gekregen. Daarbinnen worden negen competenties onderscheiden:

A. *Agogisch handelen*
1   Verkennen, onderzoeken, analyseren
2   Contactleggen en begeleiden
3   Ontwerpen en ontwikkelen
4   Organiseren, netwerken, bemiddelen

B. Ondernemend handelen
- 5   Bedrijfsmatig & organisatiegericht handelen
- 6   Beleidsmatig & strategisch handelen

C. Beroepsontwikkeling
- 7   Eigen professionaliteit ontwikkelen
- 8   Het ontwikkelen van de beroepspraktijk en het beroepsmatig handelen
- 9   Profileren, legitimeren en maatschappelijke steun verwerven

De volgorde waarin de competenties beschreven zijn, heeft geen bijzondere betekenis. Zeker niet in de zin dat een bepaalde vorm van professioneel handelen vooraf gaat aan een andere vorm. CMV-professionals werken vaak volgens een regulatieve cyclus (oriënteren, analyseren, contactleggen, intervenieren, stabiliseren, evalueren), maar niet altijd. Kenmerkend voor CMV is dat vrijwel op elk moment binnen een dergelijke cirkel ingestoken kan worden.

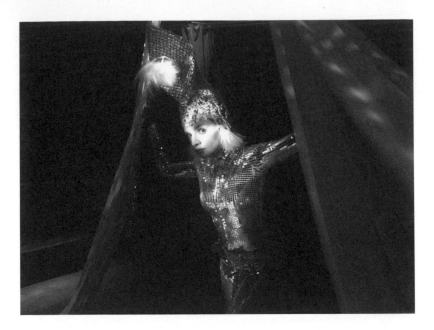

In dit opleidingsprofiel omschrijven we eerst kort elke competentie, om er daarna een uitgebreidere toelichting op te geven. De formuleringen worden door de toelichting CMV specifiek 'ingekleurd' en van een context voorzien. Zo wordt voorkomen dat de competenties te globaal blijven: de indeling die hierboven is gegeven zou in principe voor vrijwel elke hogere beroepsopleiding bruikbaar zijn. De laatste alinea van elke toelichting bestaan uit een korte omschrijving van de kennis die nodig is om de betreffende competentie te kunnen verwerven. Tot slot noemen we bij elke competentie een aantal indicatoren. Deze zijn niet uitputtend beschreven, maar geven een aanwijzing of en in hoeverre een student deze competentie heeft verworven. Daarmee wordt tevens een indicatie gegeven van het niveau waarop de competenties moeten worden verworven.

Hoofdstuk 5

Wat is de plaats van CMV ten opzichte van 'social work'?

De volgende vraag die we beantwoorden vóór de beschrijving van de competenties is die naar de plaats van CMV binnen het overstijgende domein van het 'social work'. We doen dat aan de hand van het document *'Vele takken, één stam'* , dat is opgesteld onder regie van de sectorale adviescommissie HSAO van de HBO-raad als antwoord op *'Klaar voor de toekomst'*, het beroependomeinprofiel voor de sector Zorg en Welzijn. In het document wordt de gemeenschappelijke stam beschreven van de verschillende opleidingen binnen het HSAO: Maatschappelijk Werk en Dienstverlening, Sociaal-pedagogische Hulpverlening, Pedagogiek, Godsdienstpastoraal werk en CMV. Ook het Landelijk Opleidingsoverleg CMV heeft zich aan deze tekst gecommitteerd. De korte omschrijving van CMV in deze tekst luidt als volgt:

CMV
De opleiding Culturele en Maatschappelijke Vorming leidt op tot ondernemende professionals in de sociale en culturele sector. De CMV-professional ondersteunt en begeleidt mensen om hun cultureel en maatschappelijk leven vorm te geven. De CMV'er ontwerpt en organiseert programma's en projecten die mensen uitdagen en in staat stellen deel te nemen aan het maatschappelijke en culturele leven.
De CMV'er werkt op alle plekken waar mensen sociale en/of culturele activiteiten ontplooien: in gesubsidieerde instellingen of organisaties, bij de overheid, bij NGO's, in commerciële bedrijven of als zelfstandig ondernemer.

Vertrekpunt bij het inhoudelijk bepalen van de gemeenschappelijke sociaal-agogische competenties is de missie voor social work zoals die is geformuleerd door de IASSW en de IFSW[4]:

> *The Social Work profession promotes social change, problem solving in human relationships and the empowerment and liberation of people to enhance well-being. Utilising theories of human behaviour and social systems, social work intervenes at the points where people interact with their environments. Principles of human rights and social justice are fundamental to Social Work.*

De professie van sociaal werk bevordert sociale (in de betekenis van maatschappelijke) verandering, het oplossen van problemen in menselijke relaties en de 'empowerment' en bevrijding van mensen tot versterking van welzijn. Gebruikmakend van theorieën over menselijk gedrag en maatschappelijke systemen intervenieert social work daar waar mensen interacteren met hun omgevingen. Mensenrechten en maatschappelijke rechtvaardigheid zijn fundamenteel voor social work.

---

4 Van deze verenigingen, de *International Association of Schools of Social Work* en de *International Federation of Social Workers*, zijn dertien Nederlandse hogescholen lid; zij onderschrijven daarmee de standaarden van deze verenigingen.

Er worden zes 'domeinen van menselijk functioneren' benoemd, waarop het sociaal-agogisch werk zich richt:

I.   het menselijk bestaan op zich, gericht op existentiële vragen en bevordering van humaniteit door expliciet zinvragen aan de orde te stellen;

II. de vitale levensverrichtingen, gericht op het in stand houden van levensprocessen en het gezond blijven;

III. de algemene dagelijkse levensverrichtingen, gericht op de realisatie van de primaire alledaagse levensbehoeften;

IV. het functioneren in de primaire leefsituatie, gericht op het volwaardig kunnen meedoen in de directe woon- en leefomgeving;

V.   het functioneren in de sociale omgeving, gericht op volwaardig kunnen functioneren in organisaties, instanties en netwerken;

VI. het functioneren als lid van de samenleving, gericht op volwaardig meedoen aan de maatschappij.

Binnen deze context zal het werk van de CMV'er zich vooral richten op de aspecten V en VI waarbij het eerste aspect (zingeving), soms expliciet en soms op de achtergrond, altijd een rol speelt.

In het rapport *'Klaar voor de toekomst'* wordt de beroepenstructuur gedefinieerd voor de sector zorg en welzijn, waaronder de 'branches': welzijn en maatschappelijke dienstverlening, gehandicaptenzorg, jeugdzorg en kinderopvang. In een poging de verschillende beroepen daarbinnen te ordenen wordt een schema gebruikt om met name de verhouding tussen de verplegende en verzorgende beroepen enerzijds en de sociaal-agogische beroepen anderzijds inzichtelijk te maken. Geconstateerd wordt dat er in toenemende mate sprake is van overlap. *Vele takken, één stam* gebruikt onderstaand schema om de verschillende sociaal-agogische opleidingen te positioneren:

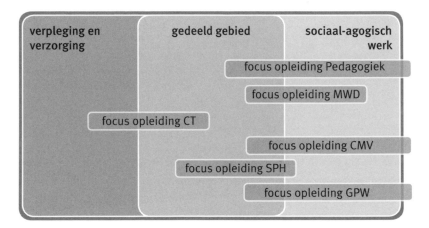

Uit het schema wordt duidelijk dat de opleiding CMV studenten opleidt voor beroepen binnen het sociaal-agogisch werkveld en ook voor beroepen buiten de sector zorg en welzijn en buiten de branche 'welzijn en maatschappelijke dienstverlening'. CMV leidt niet op voor verplegende en verzorgende beroepen. Daar kan nog aan toegevoegd worden dat CMV ook niet expliciet opleidt voor hulpverlenende beroepen.

Vervolgens worden in *Vele takken, één stam* drie algemene taakgebieden gedefinieerd, die min of meer overeen komen met de drie segmenten uit Alert en Ondernemend:
1. agogisch-vakmatige taken,
2. organisatorische en bedrijfsmatige taken en
3. professionaliseringstaken.

In het nieuwe CMV-opleidingsprofiel handhaven we deze indeling, maar benoemen het als competentiegebieden en geven het iets andere titels, overeenkomstig de eigen profilering en identiteit:
1. agogisch handelen
2. ondernemend handelen
3. beroepsontwikkeling

Tot slot wordt in het algemene deel van het document een duiding gegeven van het begrip sociaal-agogisch handelen en wordt een indeling gemaakt van verschillende vormen van sociaal-agogisch handelen volgens het volgende schema:

Vormen van sociaal-agogisch handelen				
Hulpverlening				Dienstverlening
Zorgverlenen	Behandelen	Begeleiden	Ondersteunen	Faciliteren

Het professioneel handelen van CMV'ers bevindt zich in dit schema duidelijk aan de rechterkant.

In het tweede deel van *Vele takken, één stam*, worden de gemeenschappelijke competenties geformuleerd van de sociaal-agogische opleidingen. In dit nieuwe CMV-opleidingsprofiel wordt de verhouding tussen deze algemene competenties en de specifieke CMV-competenties verder uitgewerkt.

De opleiding CMV komt in het buitenland niet op dezelfde manier voor. De verschillende sociale en culturele praktijken waarvoor CMV-professionals worden opgeleid, bestaan in het buitenland echter wel. Vaak worden die praktijken anders benoemd en vallen ze onder een ander politiek of juridisch kader. Veel werk dat in Nederland professioneel wordt verricht, wordt op andere plekken in de wereld uitgevoerd in het kader van verenigingen, sociale bewegingen of politieke organisaties.

Een aantal van de praktijken die onder het (lokale) welzijnswerk vallen, worden in internationaal verband benoemd onder de overkoepelende term *'social work'*. In Engelstalige landen en literatuur wordt het vaak apart benoemd en soms ook apart georganiseerd als *'youth and community work'*. Als het gaat om programma's en projecten ten behoeve van de ontwikkeling van buurten en wijken wordt in internationaal verband meestal de term *'community development'* of *'community organisation'* gebruikt. Om het leren van volwas-

senen aan te duiden wordt in het Engelse taalgebied de term 'adult educa-tion' gebruikt. Uit de Duitse traditie komt het klassieke begrip *Bildung*, zoals in *Erwachsenenbildung* en *Bildungsarbeit*. In Duitsland wordt ook gesproken over *Sozialarbeit*. Daarnaast bestaat in het Duitse taalgebied verwantschap met de terreinen van *Gemeinwesenarbeit*, *soziokulturelle Animation* en *Sozi-alpädagogik* (al worden met deze laatste term vooral praktijken aangeduid die in Nederland onder het domein van SPH vallen). In Frans- en Spaanstalige landen is veel werk terug te vinden onder termen die verwijzen naar ontwikke-ling en animatie, zoals respectievelijk *développement communautaire, local* of *social, animation socioculturelle , desarrollo comunitario, animación socio-cultural.* Community art is internationaal een bekend begrip, al wordt in België de term 'sociaal artistieke projecten' gebruikt. Voor activiteiten op het terrein van vrije tijd en recreatie bestaan veel buitenlandse equivalenten: *Freizeit-arbeit of Freizeitpädagogik, leisure activities, animation culturelle* en *anima-tion sociale.* Verder wordt wereldwijd veel werk gedaan binnen NGO's op het terrein van ontwikkelingssamenwerking.

Begrippen als 'capacity building' en 'empowerment' die in deze context veel worden gebruikt, tonen nauwe verwantschap met het vergroten en versterken van competenties, (zelf)organisatie en het mobiliseren van bronnen.

De voortschrijdende globalisering en de toenemende mogelijkheden van internet maken een internationale oriëntatie van CMV vanzelfsprekend en noodzakelijk. Tijdens de opleiding wordt dan ook veel aandacht besteed aan internationale aspecten en de internationale context van CMV. In opleiding en beroepspraktijk neemt uitwisseling en samenwerking tussen professionals in verschillende nationale contexten een steeds belangrijkere plaats in.

Daarbij gaat het niet alleen om de mogelijkheid om van ervaringen elders te leren, maar ook om meer zicht op lokale en nationale bijzonderheden en voor-onderstellingen die binnen de eigen context vaak vanzelfsprekend zijn, maar in het kader van een internationale vergelijking hun vanzelfsprekendheid ver-liezen.

Hoofdstuk 7

Wat is de 'body of knowledge' van CMV?

CMV is een opleiding die studenten opleidt op HBO-bachelorniveau. In bijlage 3 wordt schematisch aangegeven hoe de competenties van de (beginnende) CMV-professional zich verhouden tot de Nederlandse en Europese standaarden: de generieke HBO-kwalificaties van de commissie-Franssen (uit 2001) en de zogeheten Dublin-descriptoren. Bij de formulering van de CMV-competenties geven we straks bij elke laatste alinea van de toelichting op de competentie globaal aan, welke kennis nodig is om de competentie te verwerven. Deze kennis is opgeslagen in verschillende (wetenschappelijke) disciplines. Het schema hieronder maakt duidelijk aan welke verschillende (sociaal-) wetenschappelijke disciplines CMV'ers hun inzichten ontlenen om vakbekwame professionals te worden.

Kennisgebied	met het oog op
agogiek, andragologie	systematisch, methodisch, doelgericht handelen; sociaal, interactief, veranderingsgericht handelen; normatief handelen
bedrijfskunde	ondernemend en bedrijfsmatig handelen, financieel beleid, ondernemingsplan maken, marketing
bestuurskunde	sociaal beleid, actuele beleidsontwikkelingen, duurzaamheid, innovatie
communicatie-wetenschappen	communicatieprocessen, beïnvloedingsmechanismen, invloed en gebruik van media
culturele antropologie	samenleven, diversiteit, identiteit
economie	economische ontwikkeling, ontwikkelingstheorieën, verdelingsvraagstukken, arbeid en inkomen
filosofie	zingeving, ethiek, politieke filosofie, levensbeschouwelijke oriëntatie, mensenrechten, duurzaamheid
kunst- en cultuur-wetenschappen	kunstgeschiedenis/filosofie, cultuur(geschiedenis), kunstuitingen/beleving
onderzoekstheorie & -methode	praktijkgericht, handelingsgericht onderzoek, inzet wetenschappelijke kennis
onderwijskunde	vorming en ontwikkeling, (ontwikkelen en begeleiden van) leerprocessen, leertheorie
organisatiekunde	organisatievraagstukken, management, leidinggeven, beleidsmatig handelen, leiding geven
politicologie	staat, politiek systeem, macht, burgerschap, lokaal sociaal beleid
rechten	juridische kennis, procedures
(sociale) pedagogiek	opvoeden, ontwikkelingsvragen, socialisatie, binding
sociale psychologie	menselijke ontwikkeling, bindingen, emoties, groepsdynamica, leidinggeven, kennismanagement

Kennisgebied	met het oog op
sociologie	maatschappijtheorie, sociale cohesie, sociaal kapitaal, macht
(sociale) geschiedenis	ontwikkeling van de maatschappij, sociale geschiedenis, verzorgingsstaat, geschiedenis welzijnswerk
vrijetijds- wetenschappen	ontspanning & vermaak, vrijetijdsbesteding

Op de website van het Landelijk Opleidingsoverleg CMV:
www.CMVkennisweb.nl is te vinden welke literatuur de CMV-opleidingen in
Nederland zoal gebruiken om deze kennis in de leeromgeving aan te bieden.

Hoofdstuk 8

Competenties Alert en Ondernemend 2.0

A. Agogisch handelen	
1. Verkennen, onderzoeken, analyseren	
omschrijving	De CMV'er verkent, onderzoekt en analyseert maatschappelijke ontwikkelingen en situaties en zoekt daarbij het perspectief van mogelijkheden en kansen; hij doet onderzoek naar de leefwereld van specifieke groepen met het oog op ontwikkelings- en participatiemogelijkheden van mensen.
toelichting	Startpunt van elk agogisch handelen en van elke interventie van een CMV'er is dat hij zich oriënteert op de situatie waarin het handelen plaats vindt. Die oriëntatie is zowel gericht op de mensen of organisaties waarmee hij werkt als op de maatschappelijke omgeving waarin het werk zich afspeelt. Dat oriënteren is altijd gericht op het zoeken van mogelijkheden en perspectieven om CMV-doelen te realiseren. Het gaat daarbij om de mogelijkheden van mensen om te leren en zich te ontwikkelen, om deel te nemen aan het sociale en culturele leven, invloed uit te oefenen op hun levensomstandigheden en maatschappelijke positie en het mede vormgeven van de samenleving. Maar het gaat er ook om, de belemmeringen en blokkades die zich daarbij voordoen op te sporen en zo mogelijk te omzeilen of uit de weg te ruimen. Dat vergt altijd enerzijds een analyse van de maatschappelijke verhoudingen en anderzijds leefwereldonderzoek naar de mensen die in beeld zijn. Een belangrijk onderdeel van de oriëntatie is een analyse van de vaak diverse achtergrond van de mensen waarmee gewerkt wordt en de wijze waarop dat hun identiteit en hun perspectief op de samenleving kleurt. Om zich in elke situatie goed te kunnen oriënteren is een gedegen theoretische en wetenschappelijke kennis van mens en maatschappij noodzakelijk; daarnaast een gevoeligheid voor verhoudingen en de kennis en vaardigheden om praktijkgericht onderzoek en leefwereldonderzoek te verrichten.

1. Verkennen, onderzoeken, analyseren	(vervolg)
indicatoren	De CMV'er: • maakt een analyse van de sociale en culturele omstandigheden van bepaalde groepen, • maakt een sociale en 'culturele' kaart van het gebied waar hij werkt, • onderzoekt, bij voorkeur samen met betrokkenen, nieuwe perspectieven en ontwikkelingsmogelijkheden in de omgeving van mensen, • herkent de verschillende aspecten die deel uit maken van (culturele) identiteitsvorming, • doet leefwereldonderzoek, • ontwerpt praktijkgericht onderzoek en voert dit uit, • maakt gebruik van bestaand wetenschappelijke onderzoek, • gebruikt bestaande theorieën over maatschappelijke ontwikkelingen en over specifieke groepen en integreert deze in de eigen analyse.

2. Contact leggen en begeleiden

omschrijving	De CMV'er legt contact, begeleidt, coacht en ondersteunt groepen, individuen, organisaties en samenlevingsverbanden, zodat nieuwe mogelijkheden ontstaan tot leren, samenwerking en maatschappelijke participatie. De intentie van de ondersteuning is dat betrokkenen beter in staat zijn invloed uit te oefenen op hun levensomstandigheden en leefomgeving en zelf vorm te geven aan hun sociale en culturele leven.
toelichting	Contact leggen, begeleiden, ondersteunen en coachen van (groepen) mensen zijn de meest directe vormen van agogisch handelen. De CMV'er legt contact en gaat relaties aan met individuen, groepen en samenlevingsverbanden in uiteenlopende contexten en met diverse achtergronden. In het directe contact met mensen werkt de CMV-professional methodisch en agogisch zodat mensen worden gestimuleerd worden met elkaar een proces aan te gaan waarin zij kunnen leren en zich kunnen ontwikkelen. Hij begeleidt en ondersteunt leer- en participatieprocessen van mensen in uiteenlopende situaties. Bovendien creëert de CMV'er omstandigheden waardoor hun individuele en collectieve handelingsmogelijkheden worden bevorderd. Centraal staat het vermogen goed te communiceren. Belangrijk is dat aangesloten wordt bij de leefwereld, de belangen, motieven en interesses van mensen en tegelijkertijd het doel van de activiteit niet uit het oog wordt verloren. De CMV'er moet informeren, motiveren, stimuleren en activeren bij mensen van verschillende culturele, etnische en sociaal-economische achtergronden en verschillende geslachten en leeftijden. Er wordt gestreefd naar het leggen van verbindingen tussen individuen, groepen, samenlevingsverbanden, organisaties en publieksgroepen. Het begeleiden, ondersteunen en coachen is uiteindelijk altijd gericht op vergroting van autonomie en zelfsturing. Dit agogisch handelen is normatief: het werk wordt gedaan vanuit een betrokkenheid bij mensen en een (normatieve) visie op de samenleving en er worden voortdurend keuzes gemaakt hoe mensen aan te spreken. Dat geldt zowel voor het aanspreken in het eerste contact als in een langer durende agogische relatie. De CMV-professional ontwikkelt een eigen stijl van begeleiden en kan deze ook benoemen en verantwoorden. Om effectief en doelgericht te kunnen begeleiden en ondersteunen heeft de CMV'er kennis van leertheorieën en van groepsdynamica maar hij heeft ook inhoudelijke kennis van de onderwerpen die aan de orde zijn.

2. Contact leggen en begeleiden	(vervolg)
indicatoren	De CMV'er: • stapt op individuen en groepen af en spreekt hen aan, • maakt contact met moeilijk bereikbare groepen, • daagt mensen uit om deel te nemen aan activiteiten, • articuleert vraag en behoeften van mensen met verschillende achtergronden, • kent en gebruikt een breed scala van (ped)agogische, educatieve en kunstzinnige werkvormen, • heeft kennis van verschillende begeleidingsstijlen, ontwikkelt een eigen begeleidingsstijl en kan deze verantwoorden, • heeft inzicht in en kennis van groepsdynamische processen en gaat er productief mee om, • gaat om met de spanning tussen proces- en productgerichte activiteiten, • begeleidt individuen en groepen met verschillende culturele en/of etnische achtergrond, • initieert en faciliteert de communicatie tussen verschillende individuen en groepen, • maakt normen en waarden bespreekbaar met respect voor ieders eigenheid en identiteit, • onderhandelt, bemiddelt en weet met conflicten om te gaan, • draagt op heldere en motiverende wijze informatie over, • werkt in de voorbereiding en uitvoering van de activiteiten samen met deelnemers, vrijwilligers en medewerkers, • toont betrokkenheid en weet te overtuigen.

3. Ontwerpen en ontwikkelen	
omschrijving	De CMV'er ontwerpt in het kader van agogische dienstverlening (culturele, recreatieve, educatieve en sociale) programma's en activiteiten met en voor diverse groepen. Hij doet dat doelgericht en in dialoog met (potentiële) deelnemers en verantwoordt het ontwerp inhoudelijk, instrumenteel-technisch en ethisch-normatief. In het ontwerpen zoekt hij een combinatie van persoonlijke ontwikkeling, beïnvloeding van bestaansvoorwaarden en vormgeving van het sociale en culturele leven.
toelichting	Het ontwerpen en ontwikkelen van projecten, activiteiten, programma's en evenementen, is een kerncompetentie van CMV-professionals. Kennis op verschillende niveaus, diverse vaardigheden en een grote dosis gevoeligheid en intuïtie komen hier samen. Goed ontwikkelen vereist naast inhoudelijke kennis, verbeeldingskracht en creativiteit ook het aansluiten bij de leefwereld, motieven, belangen en mogelijkheden van de deelnemers. Kenmerkend voor het ontwerpen en ontwikkelen van CMV'ers is dan ook het interactieve karakter daarvan. Programma's en activiteiten worden zo veel mogelijk samen met deelnemers bedacht, ontworpen en ontwikkeld. Tegelijkertijd wordt rekening gehouden met eisen vanuit de samenleving en opdrachtgevers. Ontwerpen en programmeren gebeurt vanuit een visie en een samenhangend concept, waarbij de CMV'er doelgericht en methodisch te werk gaat. Het is de structurering vooraf naar vorm en inhoud van activiteiten en processen op het terrein van leren, participatie, belangenbehartiging en zelforganisatie, zin- en betekenisgeving. Een ontwerp is een doordachte en nauwkeurig op elkaar afgestemde combinatie van 'vorming en vermaak' en wel op zo'n wijze dat er nieuwe mogelijkheden ontstaan tot (gemeenschappelijk) leren en handelen. Het appelleert aan de intrinsieke motivatie van deelnemers en draagt tegelijkertijd bij aan de verbreding van de handelingsvaardigheden en -mogelijkheden van betrokkenen, waarbij dit steeds wordt geplaatst binnen de context van de maatschappelijke omgeving en de ontwikkelingen die zich daarin voordoen. De CMV-professional is in staat een programma helder te verantwoorden, zowel naar opdrachtgevers als naar deelnemers en anderen in het publieke debat. Behalve vakbekwaam in het bedenken, ontwerpen en programmeren moet de CMV'er ook kennis hebben over de inhoudelijke kant van het onderwerp en het terrein waarbinnen het zich afspeelt, ongeacht of het gaat om kunst- en cultuurparticipatie, de verbetering van de leefomgeving, sport en vrijetijdsbesteding, emancipatie en belangenbehartiging of om identiteitsontwikkeling en zingevingvraagstukken.

3. Ontwerpen en ontwikkelen	(vervolg)
indicatoren	De CMV'er:

De CMV'er:

- ontwerpt een project, programma, activiteit of evenement:
  - vanuit een visie en binnen een samenhangend concept,
  - gebaseerd op (theoretische) kennis van de context en het inhoudelijke vraagstuk dat in het geding is,
  - met een methodische aanpak en werkwijze,
  - in samenwerking/samenspraak met betrokkenen,
  - dat tegemoet komt aan de behoefte van mensen om te participeren in de samenleving, te leren, zich te ontwikkelen en zich te vermaken,
  - waarmee mensen zin- en betekenis kunnen geven aan hun bestaan,
  - waarmee mensen zich kunnen verbinden met anderen,
  - waardoor mensen kunnen werken aan de verbetering van hun maatschappelijke positie en invloed kunnen uitoefenen op hun levensomstandigheden,
- verantwoordt het project, programma, activiteit of evenement naar opdrachtgever en deelnemers,
- weet om te gaan met de spanning tussen eisen van de samenleving en behoeften van de deelnemers bij het ontwerpen van een programma,
- maakt het programma overdraagbaar naar collega's.

4. Organiseren, netwerken en bemiddelen	
omschrijving	De CMV'er organiseert - veelal in samenspraak met deelnemers - programma's en activiteiten. De CMV'er stemt tijd en ruimte, doelen en middelen op elkaar af en schept adequate voorwaarden, zodat programma's kunnen worden uitgevoerd en deelnemers in staat worden gesteld de doelen te realiseren, die zij zich hebben gesteld. In het organiseren gebruikt de CMV'er relaties en netwerken om productieve verbindingen te leggen tussen verschillende actoren en deelnemersgroepen.
toelichting	Om een programma, project, participatieproces, evenement of cursus volgens plan te realiseren, moet behalve het ontwerp ook de uitvoering goed worden georganiseerd. Dit vereist een afstemming van tijd, ruimte en mensen. Ook een nauwkeurige afstemming van doelen en middelen is vereist: welke middelen zijn beschikbaar om de gestelde doelen te organiseren en hoe gebruik je die middelen zo goed mogelijk om tot een optimaal resultaat te komen? Het gaat erom alle elementen van een programma of project zo te arrangeren, dat het succesvol kan verlopen en dat het maximale effect en resultaat kan worden behaald. Dat begint bij het opstellen van een begroting, het verwerven van de financiële middelen, het werven van deelnemers of publiek, het zoeken en binden van mensen met een specifieke deskundigheid; het werven van vrijwilligers en hen instrueren of zorgen dat ze goed geïnstrueerd worden; het zorgen voor de benodigde ruimtes en de inrichting ervan. De complexiteit van de projecten varieert van een relatief eenvoudige eenmalige activiteit met een duidelijke afgebakende groep deelnemers tot ingewikkelde processen van samenlevingsopbouw zonder duidelijke tijdslimiet of de planning en uitvoering van een grootschalig evenement met een divers publiek. Door netwerken te creëren en te onderhouden zorgt de CMV-professional voor draagvlak bij alle betrokkenen: opdrachtgever, samenwerkingspartners, deelnemers en andere belanghebbenden. Afhankelijk van context, visie en concept varieert de rol van de CMV'er van vormgever en organisator tot ondersteuner en faciliteerder, waarbij ook de mate van coproductie en mede-eigenaarschap varieert. De CMV'er adviseert en faciliteert deelnemers bij het nastreven van hun doelen, de mobilisatie en inzet van de benodigde middelen en de planning en organisatie van de te ondernemen activiteiten. Vaak speelt hij een intermediaire of bemiddelende rol, balancerend als 'sociaal makelaar' tussen verschillende partijen en zoekend naar een optimale match tussen diverse betrokkenen en belanghebbenden.

4. Organiseren, netwerken en bemiddelen	(vervolg)
indicatoren	De CMV'er: • ontwikkelt en organiseert programma's en activiteiten vanuit een achterliggende visie en in het kader van een samenhangend concept, • arrangeert een activiteit, programma, evenement zodanig dat de gestelde doelen gerealiseerd worden, • organiseert een activiteit, programma, evenement dat voldoet aan wensen en verwachtingen van deelnemers en opdrachtgever, • creëert voorwaarden zodanig dat deelnemers in staat gesteld worden zelf initiatieven te ontwikkelen met het oog op de realisatie van de doelen die zij zich gesteld hebben, • maakt een goede inschatting van de middelen die nodig zijn om een activiteit, programma, evenement te organiseren, • werkt binnen gegeven financiële kaders, • verzorgt de werving van vrijwilligers, • verzorgt werving voor een activiteit, programma of evenement, • creëert en onderhoudt netwerken, • zorgt voor draagvlak bij alle betrokkenen en belanghebbenden, • werkt goed samen met collega's, vrijwilligers en externen, • zoekt vanuit eigen expertise samenwerking met andere personen en organisaties binnen en buiten het sociaal-agogische werkveld, • bemiddelt tussen individuen onderling, tussen individuen en groepen, tussen groepen onderling, en tussen burgers en overheid.

B. Ondernemend handelen	
5. Bedrijfsmatig & organisatiegericht handelen	
omschrijving	De CMV'er functioneert als ondernemende professional in en vanuit een organisatie en levert een bijdrage aan de bedrijfsmatige aspecten van de organisatie.
toelichting	De moderne CMV'er is steeds meer een sociaal en cultureel ondernemende professional. Van hem wordt in toenemende mate verwacht dienstverlenend en marktgericht en klantgericht te werken. Dit betekent dat een CMV'er moet beschikken over bedrijfsmatig inzicht en voorkomende taken rond financieel beleid en beheer doelmatig en efficiënt moet kunnen uitvoeren: een begroting maken, acquisitie en marketing en communicatie verzorgen, fondsen werven, een jaarverslag maken. Hij moet iets weten van 'facility management' en daar zo nodig naar kunnen handelen. CMV-professionals zijn gevoelig voor duurzaam en maatschappelijk verantwoord ondernemen en organiseren en moeten daar ook naar handelen. CMV'ers werken in toenemende mate zelfstandig of in kleine bedrijfjes: als freelancer of als zelfstandig ondernemer. Ze moeten dus een ondernemingsplan kunnen maken en in principe bekwaam zijn zelfstandig een bedrijf te runnen. Maar ze werken ook binnen grote organisaties; in dat geval moeten zij als professional een bijdrage leveren aan de organisatie, maar ook organisatieproblemen kunnen herkennen, analyseren en een bijdrage kunnen leveren aan de oplossing. Ze moeten kritisch kunnen reflecteren op het eigen functioneren binnen de organisatie en kunnen omgaan met de spanning tussen de doelen van de organisatie en de eigen professionele doelen en ambities. Vaak geeft de CMV'er leiding aan vrijwilligers en medewerkers. Hij moet in staat zijn hen zo aan te sturen, te ondersteunen en te begeleiden dat zij (zelfstandig) activiteiten van agogische dienstverlening kunnen ontwikkelen, plannen, uitvoeren en evalueren. Hierbij moet de CMV'er rekening houden met de spanning tussen de doelen van de organisatie en de wensen en belangen van de vrijwilligers.

5. Bedrijfsmatig & organisatiegericht handelen	(vervolg)
indicatoren	De CMV'er: • treedt op als sociaal en cultureel ondernemer, • geeft leiding aan vrijwilligers en ondersteunt hen, • gaat productief om met eigen grenzen en mogelijkheden, • organiseert het eigen werk binnen de gegeven randvoorwaarden, • vertegenwoordigt de eigen organisatie naar buiten toe, • stelt een begroting op binnen de gegeven financiële kaders, • werft fondsen en verzorgt acquisitie, • heeft kennis van marketingmethoden en technieken en handelt daarnaar, • zoekt en benut externe expertise, • kan zo nodig een ondernemingsplan maken, • levert een bijdrage aan (de ontwikkeling van) het kwaliteitsbeleid van de eigen organisatie, • reflecteert op het eigen functioneren in de organisatie.

6. Beleidsmatig & strategisch handelen	
omschrijving	De CMV'er levert een bijdrage aan het beleid van de organisatie, ontwikkelt als ondernemende professional nieuwe initiatieven en onderhoudt professionele netwerken.
toelichting	Naast de bedrijfsmatige competenties krijgen beleidsmatige en strategische competenties een steeds zwaarder gewicht. Kenmerkend voor de CMV'er is immers een vaak complexe maatschappelijke positionering, waarin hij zich geconfronteerd ziet met uiteenlopende en soms strijdige standpunten, claims, belangen en wensen. Dat vraagt om bemiddeling tussen leefwereld en systeemwereld, tussen mensen en instellingen, wetgeving en structuren, tussen burgers en overheidsinstanties. Daartoe moeten CMV-professionals een visie hebben op de positie, betekenis en mogelijkheden van hun werk en op basis daarvan strategisch kunnen denken en handelen. Zij moeten verbindingen kunnen zien tussen hun werk en dat van anderen en perspectieven kunnen formuleren op langere termijn. CMV'ers moeten goed kunnen samenwerken, ook met mensen uit andere sectoren en disciplines. Zij moeten kunnen netwerken en aan relatiebeheer doen. Verder moeten ze beschikken over een zekere 'marktintelligentie' of maatschappelijke alertheid, dat wil zeggen: een voortdurende en nauwlettende betrokkenheid met wat er in de omgeving omgaat en een gevoeligheid voor sociale en culturele trends, zodat tijdig kan worden ingespeeld op actuele vragen. CMV'ers moeten (markt) onderzoek kunnen verrichten, inzicht hebben in de markt en van de verschillende spelers die daar actief zijn. CMV'ers moeten kunnen schakelen tussen verschillende niveaus en contexten, een veelheid aan partijen met uiteenlopende interesses en belangen bij elkaar kunnen brengen en nieuwe verbindingen kunnen leggen over bestaande scheidslijnen heen. Daarvoor moeten ze goed kunnen onderhandelen. Belangrijk is daarnaast dat ze (vroegtijdig) maatschappelijke ontwikkelingen kunnen signaleren en analyseren, in het bijzonder als het gaat om de kansen en bedreigingen die deze met zich meebrengen. CMV'ers handelen soms binnen een politieke context en kunnen zo nodig sociale actie organiseren. Alleen dan wordt het mogelijk aan beleidsbeïnvloeding en agendasetting te doen.

6. Beleidsmatig & strategisch handelen	(vervolg)
indicatoren	De CMV'er: • kent en gebruikt basisprincipes van communicatie, marketing en marktonderzoek, • kan beleidsnotities schrijven, • zoekt en onderhoudt relaties met overheden en andere relevante maatschappelijke organisaties, • maakt een verbinding tussen de eisen van de opdrachtgever, de vragen en behoeften van de deelnemersgroepen en de doelen van de eigen organisatie, • slaat bruggen tussen uiteenlopende individuen, groepen en organisaties, • relateert maatschappelijke trends en ontwikkelingen aan de doelen van de organisatie en levert op basis daarvan een bijdrage aan (strategische) beleidsontwikkeling, • kent relevante wet en regelgeving en weet daar strategisch op in te spelen en op te anticiperen, • schat belangen en machtsposities van verschillende betrokken partijen in en houdt daarmee rekening in programmering en beleidsvorming, • profileert zichzelf en zijn organisatie en positioneert zich tegenover anderen, • schat politieke machtsverhoudingen in en oefent invloed uit op politieke besluitvorming, • verantwoordt zijn werkzaamheden naar externe partijen.

C. Beroepsontwikkeling	
7. Eigen professionaliteit ontwikkelen	
omschrijving	De CMV'er ontwikkelt de eigen professionaliteit en stuurt de eigen loopbaan.
toelichting	Door persoonlijke ambities, affiniteiten en kwaliteiten te verbinden met de specifieke beroepscontext ontwikkelen CMV'ers een eigen professionele identiteit en zijn zij in staat aan te geven welke bijdrage van hen mag worden verwacht. CMV-professionals zijn in staat te reflecteren op het werk. Als *'reflective practitioner'* kan de professional het eigen functioneren plaatsen in een bredere setting, met inbegrip van doelen, opvattingen, waarden en normen die in die bredere maatschappelijke context gelden. Als normatieve professionals vragen zij zich voortdurend af of hun handelen juist is: 'is mijn handelen doeltreffend?', 'is mijn handelen juist vanuit een professioneel standpunt?' en 'is mijn handelen juist vanuit een moreel standpunt?'. Deze permanente reflectie maakt het mogelijk adequaat te anticiperen op nieuwe, onverwachte en onvoorspelbare situaties. Zo blijft er een alertheid op nieuwe mogelijkheden en kansen voor de eigen ontwikkeling. Voorwaarde voor deze reflectie is dat de CMV'er de ontwikkelingen in het vakgebied bijhoudt en zich ook theoretisch blijft oriënteren op maatschappelijke ontwikkelingen.
indicatoren	De CMV'er: • reflecteert op het eigen handelen en trekt daaruit conclusies voor verbetering van dat handelen, • (h)erkent dilemma's in het handelen en verantwoordt de gemaakte keuzes, • stuurt het eigen leerproces en ontwikkelt de eigen deskundigheid, • kent de belangrijkste discussies in het eigen vakgebied, • houdt vakliteratuur bij en is op de hoogte van relevante theorievorming en onderzoek in het eigen vakgebied, • vergroot, verbreedt en verdiept de professionele competenties vanuit een lerende houding en ontwikkelt zo zijn vakmanschap.

8. Het ontwikkelen van de beroepspraktijk en het beroepsmatig handelen

omschrijving	De CMV'er levert een bijdrage aan de ontwikkeling en vernieuwing van het beroepsmatig handelen en van het vak CMV.
toelichting	Van CMV-professionals wordt verwacht dat zij een bijdrage leveren aan de ontwikkeling en innovatie van het eigen vak, en dus (nieuwe) ontwikkelingen op het werkterrein bijhoudt, daar eventueel zelf onderzoek naar doet en erover rapporteert. CMV'ers moeten technisch én inhoudelijk een bijdrage kunnen leveren aan het kwaliteitsbeleid binnen de organisatie. Ook moeten ze de eigen werkwijze en de gehanteerde werkvormen systematisch beschrijven en deze analyseren samen met collega's en andere betrokkenen. Dat vergt dat zij op de hoogte zijn van actuele (ook internationale) ontwikkelingen in samenleving en beroepspraktijk, van nieuwe inzichten op het terrein van theorievorming en deze door kunnen vertalen naar de beroepspraktijk. Daarnaast beschikken zij over (elementaire) kennis van innovatieprocessen en –strategieën en van kwaliteitsbeleid.
indicatoren	De CMV'er: • doet onderzoek naar ontwikkelingen in de beroepspraktijk en de effecten van het beroepsmatig handelen, • vertaalt nieuwe ontwikkelingen en inzichten op het terrein van theorievorming en methodiekontwikkeling naar de beroepspraktijk van CMV, • ziet in landelijk en lokaal overheidsbeleid mogelijkheden voor vernieuwing en ontwikkeling van de beroepspraktijk, • kent het belang van kwaliteitsbeleid en kan resultaten van dit beleid aanwenden voor de verbetering van het eigen beroepsmatig handelen, • doet onderzoek naar de effecten van de eigen beroepspraktijk en is in staat de resultaten van dit onderzoek aan te wenden voor de verbetering en verdere ontwikkeling van die beroepspraktijk, • houdt relevante internationale trends en ontwikkelingen in het eigen vakgebied bij.

9. Profileren, legitimeren en maatschappelijke steun verwerven	
omschrijving	De CMV'er levert een bijdrage aan de maatschappelijke profilering en legitimering van het vak en weet daarvoor maatschappelijke steun te verwerven.
toelichting	De CMV'er legitimeert en verantwoordt het werk tegenover opdracht-gevers en meer in het algemeen tegenover de samenleving. Als normatieve professional moet hij kunnen verwoorden waarom het werk belangrijk is en welke uitgangspunten en keuzen daaraan ten grondslag liggen. Voorwaarde voor dit alles is dat de CMV'er een theoretisch onderlegde visie heeft op de positie en betekenis van het vak CMV in de samenleving.
indicatoren	De CMV'er: • heeft een visie op de maatschappelijke plaats en functie van CMV en expliciteert deze visie waar nodig in het publieke en politieke debat, • heeft een visie op de mogelijke bijdrage van CMV aan de beantwoording van maatschappelijke vraagstukken en verwoordt die visie op een concrete wijze, • analyseert maatschappelijke ontwikkelingen en duidt deze op hun betekenis voor het beroep, • doet onderzoek naar de effecten van het beroepsmatig handelen van CMV'ers en kan de resultaten van dit onderzoek aanwenden voor het verwerven van maatschappelijke steun voor het beroep.

Boer, N. de (red.) (2009). *CMV in veelvoud, Trendstudies bij Alert en Onderne-mend 2.0*. Amsterdam: Uitgeverij SWP.

Boer, N. de & J.W. Duyvendak (2004). Welzijn. In: H. Dijstelbloem e.a. (red.), *Maatschappelijke dienstverlening. Een onderzoek naar 5 sectoren, WRR*. Amsterdam: Amsterdam University Press.

Dam, C. ten & N. Zwikker (2008). *Beroepsprofiel Jongerenwerker*. Utrecht: Movisie.

Platform Kwalificatiebeleid Zorg en Welzijn (2005). *Klaar voor de toekomst, Een nieuwe beroepenstructuur voor de branches welzijn en maatschappelijke dienstverlening, gehandicaptenzorg, jeugdzorg en kinderopvang*. Utrecht: NIZW Beroepsontwikkeling.

LOO-CMV (1999). *Alert & Ondernemend, Opleidingsprofiel Culturele en Maatschappelijke vorming*. Utrecht: SWP.

Sectorraad HSAO (2008). *Vele takken, één stam. Kader voor sociaal-agogische opleidingen*. Amsterdam: SWP.

Vlaar, P. (2005). *Beroepsprofiel Sociaal-cultureel werker*. Utrecht: NIZW Beroepsontwikkeling, Platform Kwalificatiebeleid Zorg en Welzijn.

Vliet, K. van, N. Boonstra, J.W. Duyvendak & E. Plemper (2004). *Toekomstverkenning ten behoeve van een beroepenstructuur in zorg en welzijn*. Utrecht: Verwey-Jonker Instituut.

Vliet, K. van, N. Boonstra & R. Rijkschroeff (2007). *Welzijnswerk is een vak, naar een landelijk programma professionalisering welzijnswerk*. Eindrapportage. Utrecht: Verwey-Jonker Instituut.

Bijlagen

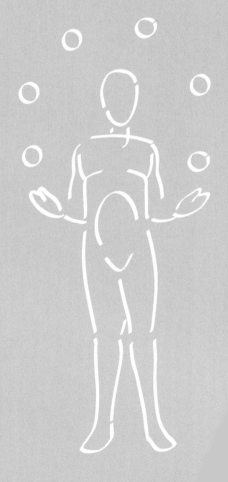

Projectgroep

Pieter van Vliet (Projectleider, Hogeschool van Amsterdam)
Frits de Dreu (Hogeschool Utrecht)
Rudy van den Hoven (Haagse Hogeschool)

Stuurgroep

Huub Gulikers (voorzitter, Hogeschool Arnhem & Nijmegen)
Erna Koekkoek (Hogeschool Windesheim)
Marianne Pauwels (Hogeschool Zuyd)
Peter Canrinus (Hogeschool Rotterdam)
Jaap Ikink (Noordelijke Hogeschool Leeuwarden)

Klankbordgroep

Yolanda te Poel (Lector Duurzame stads- en streekontwikkeling, Fontys Hogescholen)
Sandra Trienekens (Lector Burgerschap en Culturele Dynamiek, Hogeschool van Amsterdam)
Marcel Spierts (Praktijk- en onderzoekscentrum 'Karthuizer', Hogeschool van Amsterdam)
Vincent de Waal (Kenniscentrum Sociale Innovatie, Hogeschool Utrecht)

Advies

Frans Berkers (Haagse Hogeschool)

Eindredactie

Nico de Boer

Avans Hogeschool Breda
Academie voor Sociale Studies
Opleiding CMV
Breda
www.avans.nl

Avans Hogeschool Den Bosch
Academie voor Sociale Studies
Opleiding CMV
Den Bosch
www.avans.nl

Hogeschool van Amsterdam
Maatschappij en Recht
Opleiding CMV
Amsterdam
www.hva.nl

Hogeschool van Arnhem en Nijmegen
Instituut Sociale Studies
Opleiding CMV
Nijmegen
www.han.nl

Fontys Hogeschool
Sociale studies
Opleiding CMV
Eindhoven
www.fontys.nl

Haagse Hogeschool
Academie voor Sociale professies
Opleiding CMV
Den Haag
www.hhs.nl

Hogeschool Inholland
School of Social Work
Opleiding CMV
Rotterdam
www.inholland.nl

Noordelijke Hogeschool Leeuwarden
Zorg en Welzijn
Social Studies – Opleiding CMV
Leeuwarden
www.nhl.nl

Hogeschool Leiden
Social Work & Toegepaste Psychologie
Opleiding CMV
Leiden
www.hsleiden.nl

Hogeschool Rotterdam en Omstreken
Sociale Opleidingen
Opleiding CMV
Rotterdam
www.hro.nl

Hogeschool Utrecht
Social Work
Opleiding CMV
Utrecht
www.hu.nl

Hogeschool Windesheim
School of Social Work
Opleiding CMV
Zwolle
www.windesheim.nl

Hogeschool Utrecht
Social Work - locatie Amersfoort
Opleiding CMV (Social Management)
Amersfoort
www.hu.nl

Hogeschool Zuyd
Sociale Studies
Opleiding Social Work
Sittard
www.zuyd.nl

Bijlage 3

Dublin descriptoren, HBO-kwalificaties, CMV-competenties

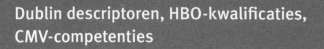

	Dublin descriptoren [NVAO]	Generieke HBO-kwalificaties (Commissie-Franssen, 2001)	Competenties CMV
Kennis en inzicht	heeft aantoonbare kennis en inzicht van een vakgebied, waarbij wordt voort-gebouwd op het niveau bereikt in het voortgezet onderwijs en dit wordt overtrof-fen; functioneert doorgaans op een niveau waarop met ondersteuning van gespecialiseerde handboeken, enige aspecten voorkomen waarvoor kennis van de laatste ontwikke-lingen in het vakge-bied is vereist.	*brede professionalisering:* voert zelfstandig taken uit als beginnend beroepsbeoefenaar in een organisatie en is toegerust voor de verdere professionalisering van de eigen beroepsuitoefening. *multidisciplinaire integratie:* integreert vanuit het perspectief van beroepsmatig handelen kennis, inhoud en vaardigheden op verschillende vakgebieden.	1. Verkennen, onderzoeken, analyseren 2. Contactleggen en begeleiden 3. Ontwerpen en ontwikkelen 6. Beleidsmatig & strategisch handelen 7. Eigen professionaliteit ontwikkelen 9. Profileren, legitimeren en maatschappelijke steun verwerven

Dublin descriptoren [NVAO]	Generieke HBO-kwalificaties (Commissie-Franssen, 2001)	Competenties CMV
Toepassen kennis en inzicht Is in staat om zijn/haar kennis en inzicht op dusdanige wijze toe te passen, dat dit een professionele benadering van zijn/haar werk of beroep laat zien, en beschikt verder over competenties voor het opstellen en verdiepen van argumentaties en voor het oplossen van problemen op het vakgebied.	*probleemgericht werken:* definieert en analyseert complexe probleemsituaties zelfstandig. *wetenschappelijk onderzoek:* past uitkomsten van wetenschappelijk onderzoek toe bij vraagstukken waarmee hij in zijn beroepsuitoefening wordt geconfronteerd. *creativiteit en complexiteit in handelen:* weet om te gaan met vraagstukken waarvan het probleem op voorhand niet duidelijk is omschreven en waarop standaardprocedures niet van toepassing zijn.	1. Verkennen, onderzoeken, analyseren 2. Contactleggen en begeleiden 3. Ontwerpen en ontwikkelen 4. Organiseren, netwerken, bemiddelen 5. Bedrijfsmatig & organisatiegericht handelen 6. Beleidsmatig & strategisch handelen 7. Eigen professionaliteit ontwikkelen 8. Het ontwikkelen van de beroepspraktijk en het beroepsmatig handelen 9. Profileren, legitimeren en maatschappelijke steun verwerven

Dublin descriptoren [NVAO]	Generieke HBO-kwalificaties (Commissie-Franssen, 2001)	Competenties CMV	
Oordeelsvorming — is in staat om relevante gegevens te verzamelen en interpreteren (meestal op het vakgebied) met het doel een oordeel te vormen dat mede gebaseerd is op het afwegen van relevante sociaal-maatschappelijke, wetenschappelijke of ethische aspecten	*methodisch en reflectief denken en handelen:* stelt realistische doelen, pakt werkzaamheden planmatig aan en reflecteert op het beroepsmatig handelen. *besef van maatschappelijke verantwoordelijkheid:* toont zich betrokken bij maatschappelijke, in het bijzonder ethische vragen die samenhangen met de beroepspraktijk.	1.	Verkennen, onderzoeken, analyseren
		3.	Ontwerpen en ontwikkelen
		6.	Beleidsmatig & strategisch handelen
		7.	Eigen professionaliteit ontwikkelen
		9.	Profileren, legitimeren en maatschappelijke steun verwerven
Communicatie — is in staat om informatie, ideeën en oplossingen over te brengen op een publiek bestaande uit specialisten of niet-specialisten.	*sociaalcommunicatieve bekwaamheid:* communiceert en werkt samen met anderen in een multiculturele, internationale of multidisciplinaire werkomgeving. *basiskwalificering voor managementfuncties:* kan eenvoudige leidinggevende en managementtaken uitvoeren.	2.	Contactleggen en begeleiden
		4.	Organiseren, netwerken, bemiddelen
		5.	Bedrijfsmatig & organisatiegericht handelen
		8.	Het ontwikkelen van de beroepspraktijk en het beroepsmatig handelen
		9.	Profileren, legitimeren en maatschappelijke steun verwerven

	Dublin descriptoren [NVAO]	Generieke HBO-kwalificaties (Commissie-Franssen, 2001)	Competenties CMV
Leervaardigheden	bezit de leervaardigheden die noodzakelijk zijn om een vervolgstudie die een hoog niveau van autonomie veronderstelt aan te gaan.	*transfer en brede inzetbaarheid:* past kennis, inzichten en vaardigheden toe in uiteenlopende beroepssituaties. *brede professionalisering:* kan zelfstandig taken uitvoeren als beginnend beroepsbeoefenaar in een organisatie en is toegerust voor de verdere professionalisering van de eigen beroepsuitoefening.	1. Verkennen, onderzoeken, analyseren 3. Ontwerpen en ontwikkelen 6. Beleidsmatig & strategisch handelen 7. Eigen professionaliteit ontwikkelen 8. Het ontwikkelen van de beroepspraktijk en het beroepsmatig handelen 9. Profileren, legitimeren en maatschappelijke steun verwerven

Dat CMV plaatsvindt op zeer diverse terreinen en CMV'ers te vinden zijn in uiteenlopende organisaties en functies, is inmiddels haast een cliché geworden. Misschien is het wel zo dat in elke organisatie en in elk bedrijf wel CMV te doen is en dat CMV'ers dus in principe in elk bedrijf of organisatie zouden kunnen werken. Toch is het wel mogelijk om een overzicht te geven van de terreinen, werkvelden en organisaties waar CMV-professionals te vinden zijn.

Dit overzicht is niet uitputtend. Zeker op lokaal en regionaal niveau zullen er nog talloze bedrijven en organisaties zijn waar CMV'ers werken, maar die niet direct onder één van de hier genoemde 'clusters' vallen. Ook is het overzicht tijdsgebonden. 'Het is ondoenlijk om alle functies van CMV'ers en alle titels waarmee zij zich tooien hier te noemen. Bovendien veranderen de taken, functies en vooral de titels die bij de diverse functies behoren sneller dan een mens kan schrijven' stond al in het CMV-opleidingsprofiel uit 1999 te lezen.

Werkvelden, functies & organisaties van CMV

Arbeid
- CMV in bedrijf (maatschappelijk verantwoorde personeelsactiviteiten)
- (individuele) trajectbegeleiding
- maatschappelijk verantwoord ondernemen

Belangenorganisaties & politiek
- categorale organisaties
- politieke partijen
- vakbonden
- vrouwenorganisaties

Culturele organisaties
- centra voor amateurkunst
- (Culturele) fondsen
- jongerenproductiehuizen
- jongerencentra
- organisatie voor community art
- poppodia
- sociaal-artistieke projecten

Cultuureducatie & talentontwikkeling
- cultuur scouts
- cultuurbemiddeling
- CJP
- Kunstbende
- musea
- muziekscholen
-

Evenementenorganisatie
- 5 mei festival, antiracisme
- conferenties, congressen & debatten
- evenementenbureaus

Internationaal
- internationale (jongeren) organisaties
- internationale uitwisseling

Jongerenorganisaties
- jongerenorganisaties van politieke partijen
- scouting Nederland

Kinderen & opvoeding
- centra voor jeugd & gezin
- opvoedingsondersteuning

(Lokale) overheid
- buurt & wijkbeheer
- bewonersparticipatie
- culturele evenementen
- integratie
- lokaal (sociaal) beleid

Media
- educatieve programma's (diverse functies)
- (lokale) omroeporganisaties (radio & TV)
- moderator (bij websites)
- productiebedrijven, programmamaker

Milieu & duurzaamheid
- fair trade
- milieu organisaties
- natuurorganisaties & -educatie

Onderwijs
- brede school
- CKV projecten
- inburgering
- maatschappelijke stages
- ROC's
- volwasseneneducatie
- vormings- & ontwikkelingswerk
- weekend school

Ontwikkelingssamenwerking
- NGO's
- overheid

Recreatieve sector
- recreatie & vrije tijd organisaties
- survivaltraining & -organisatie
- vakantie & recreatieparken

Religieuze en levens-beschouwelijke organisaties
- bijv. stichting Islam & dialoog, Islam & burgerschap
- humanistische organisaties
- kerken, moskeeën
- Youth for Christ

Straf en detentie
- (jeugd)gevangenissen
- (justitiële) opvoedingsinrichtingen

Sport
- sporteducatie (bijv. bij lokale overheid)
- sportverenigingen & -organisaties

Theaters
- acquisitie
- educatieve diensten en afdeling
- PR & marketing
- productie

Vrijwilligers
- steunpunten vrijwilligerswerk
- vrijwilligersorganisaties

Welzijnsorganisaties
- buurt/wijkcentra
- dorpshuizen
- jongerenwerk
- 'Kulturhusen'
- opbouwwerk
- stagemakelaar
- stichting welzijn
- stichting welzijn ouderen

Woningbouwvereniging
- bewonersondersteuning
- buurtbeheer

Zelfstandig ondernemer

Bijlage 5

CMV studenten internet-enquête

Ter voorbereiding van dit nieuwe CMV opleidingsprofiel is in april 2008 een landelijke internetenquête onder alle 3200 CMV studenten gehouden. Ruim 700 studenten hebben de enquête ingevuld, een respons van 22%. Daarmee is een redelijk betrouwbaar beeld gekregen van de oriëntatie, belangstelling, ambitie en toekomstverwachtingen van de huidige generatie CMV studenten. De overgrote meerderheid van de studenten (90%) werkt of loopt stage in een stedelijke omgeving; slechts 6% geeft aan in een dorp of op het platteland te werken. Gevraagd naar hun toekomstperspectief, ziet de helft van de studenten zichzelf werken in een culturele instelling. Een kwart wil wel werken in een welzijnsorganisatie en ook 25% in onderwijs gerelateerd werk. 46% van de studenten geeft aan dat ze graag met kunst & cultuur bezig willen zijn en 34% van de CMV studenten wil zich in de toekomst met evenementen en festivalorganisatie bezig houden. In de enquête worden ook een aantal stellingen voorgelegd, die een indruk geven van de inhoudelijke en normatieve standpunten van de huidige generatie studenten.

Een samenvatting van de rapportage is bij alle CMV opleidingen aanwezig en ook op te vragen bij het Landelijk opleidingsoverleg CMV of rechtstreeks bij p.van.vliet@hva.nl. Het volledige SPSS databestand met alle gegevens uit de enquête is ook voor iedereen beschikbaar. Hiermee kunnen gedetailleerdere analyses worden gemaakt, bijvoorbeeld van de studenten van de eigen opleiding in relatie tot de landelijke uitkomsten.

Colofon

Alert en Ondernemend 2.0
Opleidingsprofiel Culturele en Maatschappelijke Vorming

ISBN 978 90 8850 020 6
NUR 840

Foto's
Mark Stedman (photocallireland.com): pagina 34
Bigstockphoto.com: omslag en pagina's 46, 52, 66 en 78
Michel Hobbij: pagina's 24, 40, 41, 64 en 74
Peter Spruijt: overige

Vormgeving
Merel van Dam, Uitgeverij SWP

Uitgever
Paul Roosenstein

Voor informatie over overige uitgaven van Uitgeverij SWP:
Postbus 257, 1000 AG Amsterdam
Telefoon: (020) 330 72 00
Fax: (020) 330 80 40
E-mail: swp@mailswp.com
Internet: www.swpbook.com